I Tungi, ei theulu bendigedig, a'i gofalwyr ymroddgar

Cyhoeddwyd gan CAA Cymru, Prifysgol Aberystwyth,
Plas Gogerddan, Aberystwyth, Ceredigion, SY23 3EB
(www.aber.ac.uk/caa)

Cyhoeddwyd gyda chymorth ariannol
Cyngor Llyfrau Cymru.

ISBN: 978-1-84521-692-4

Cyhoeddwyd yn Saesneg yn wreiddiol gan
Child's Play (International) Ltd

Dyluniwyd gan Richard Huw Pritchard
Argraffwyd gan Wasg Gomer

Mam-gu a fi

Jessica Shepherd

Addasiad Eleri Huws

Helô! Osian ydw i – a gen i mae'r fam-gu orau
yn y byd i gyd yn grwn.

Rydyn ni wrth ein bodd yn chwarae gyda'n gilydd.
Weithiau, dwi'n credu bod Mam-gu'n hoffi
chwarae yn fwy na fi!

Ambell dro, dydy Mam-gu ddim yn teimlo fel chwarae, ond mae 'na ddigonedd o bethau eraill y gallwn ni eu gwneud gyda'n gilydd.

Rydyn ni'n hoffi llyfrau. Erbyn hyn, dwi'n ddigon mawr i ddarllen stori i Mam-gu.

Rydyn ni'n hoffi plannu blodau a'u harogli...

...a gwrando ar y
clychau gwynt yn
canu ting-a-ling...

...a golchi'r llestri nes
eu bod nhw'n sgleinio
fel diemwnt.

Mam-gu yw'r orau bob tro am wneud hynny.

Yn ddiweddar, mae Mam-gu'n anghofio llawer o bethau. Bron iawn iddi hi anghofio fy mhen-blwydd i!

Mae 'na lawer o bethau mae Mam-gu yn methu eu gwneud erbyn hyn. Dwi'n gwneud fy ngorau glas i'w helpu hi.

Mae Dad yn dweud ei bod yn bwysig i Mam-gu fyw yn rhywle lle bydd hi'n saff. Mae angen iddi hi fod gyda phobl sy'n gwybod sut i'w helpu hi – yn well nag rydyn ni'n gallu ei wneud.

Ond fe fyddwn ni'n ei cholli hi...

Mae Mam-gu'n symud i fyw i gartref arbennig.

Yno, fe fydd hi'n cael y gofal mae arni ei angen bob dydd.

Dwi'n eistedd yn ei chadair ar fy mhen fy hun, ac yn teimlo'n unig.

Heddiw, dwi'n mynd i weld Mam-gu yn ei chartref newydd am y tro cyntaf. Dwi'n teimlo braidd yn nerfus. Ond mae Dad yn dweud y galla i ofyn faint fynna i o gwestiynau.

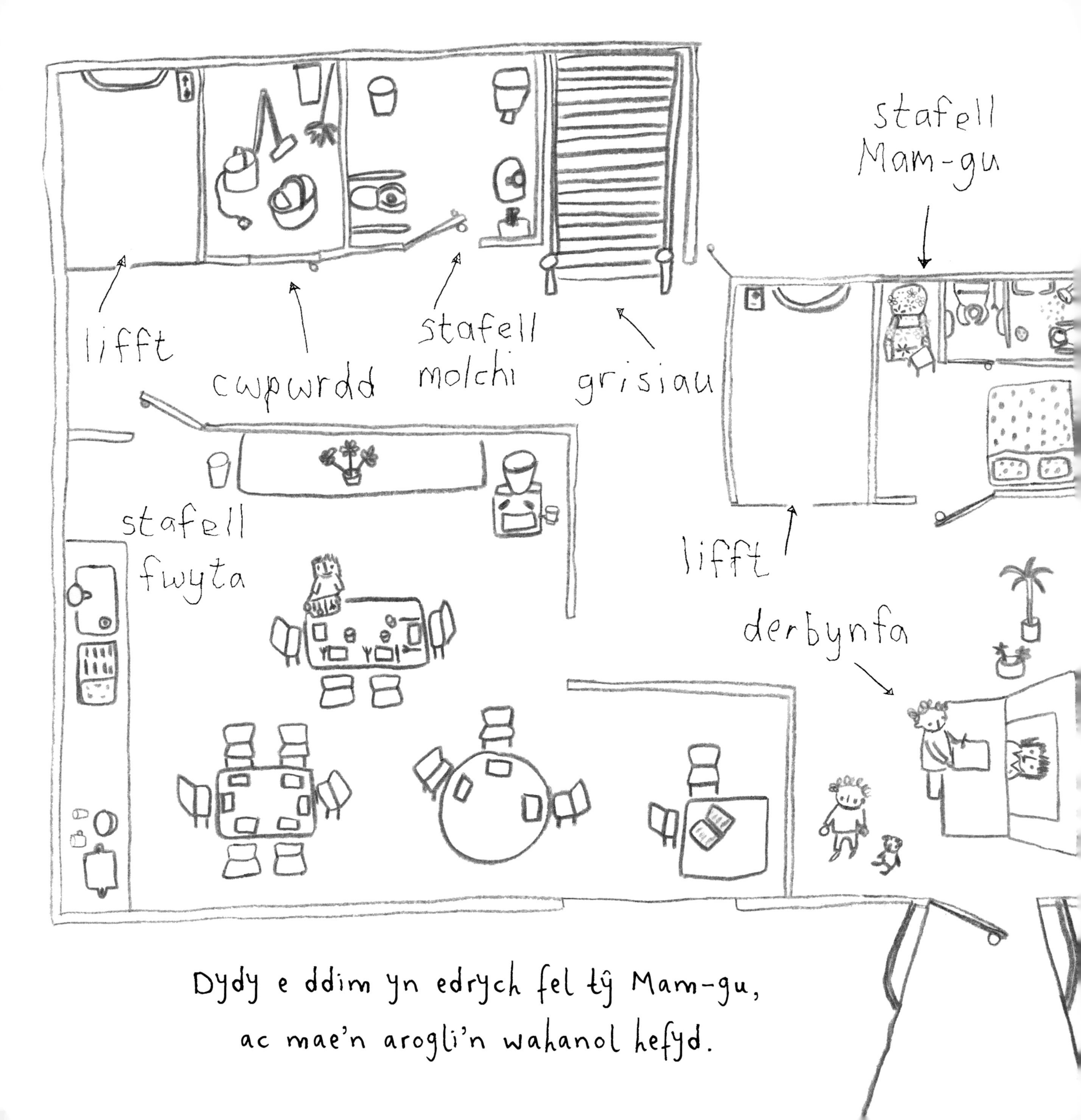

Dydy e ddim yn edrych fel tŷ Mam-gu,
ac mae'n arogli'n wahanol hefyd.

Mae 'na gymaint o bethau newydd i'w gweld, a phobl i ddweud 'helô' wrthyn nhw.

Mae Mam-gu wrth ei bodd yn ein gweld.

Ac mae'r bobl sy'n ei helpu hi yn llawn hwyl a sbri!

Dwi'n hoffi Alun, ffrind newydd Mam-gu. Mae e'n dod o hyd i ddarn o arian tu ôl i 'nghlust i!

Mae Mam-gu a fi'n cael diod a chacennau bach gyda'n gilydd.

Cacen geirios ydy ffefryn Mam-gu, ond ambell dro mae hi'n hoffi cacen siocled am newid. Mae'r bobl sy'n gofalu amdani'n gwybod hynny'n barod.

Weithiau, mae Mam-gu'n gweiddi pan mae pobl yn trio'i helpu hi. Ac ambell dro mae hi'n gas wrtha i hefyd – a does gen i ddim syniad pam.

'Nid arnat ti mae'r bai,' mae Dad yn dweud wrtha i. 'Mae Mam-gu braidd yn ddryslyd.' Dwi'n gwybod nad ydy Mam-gu eisiau bod yn gas, ond mae'n dal i wneud i mi deimlo'n drist.

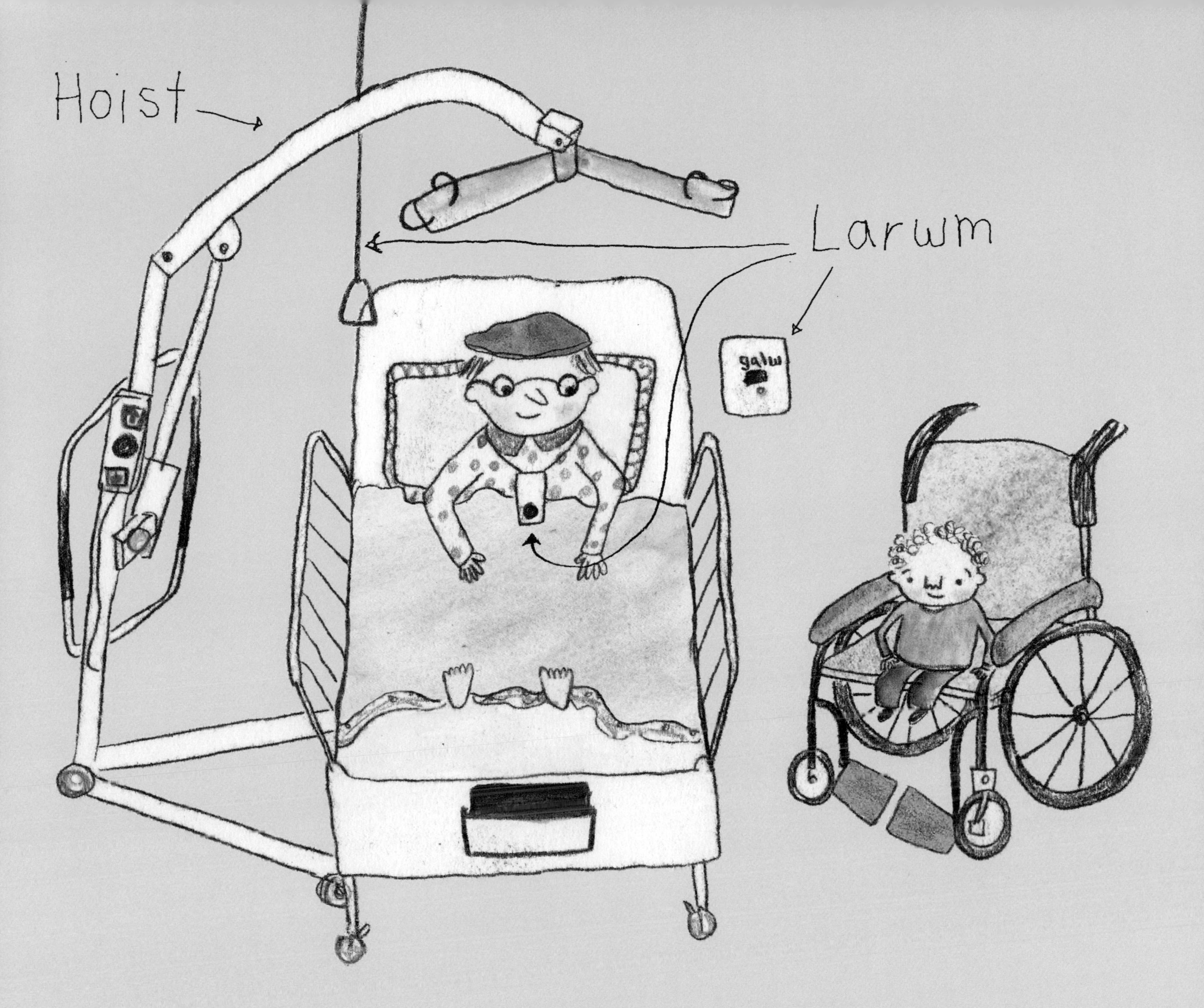

Mae ar Alun angen help hefyd. Dydy ei goesau ddim yn gweithio'n iawn, felly mae'n cael ei godi mewn hoist. Mae'n gadael i mi eistedd yn ei gadair olwyn. Dwi'n hoffi Alun.

Mae Mam-gu'n anghofio llawer o bethau...

...felly dwi wedi paratoi llond bocs o atgofion hapus i ni gael edrych drwyddyn nhw gyda'n gilydd.

Mae Mam-gu'n dal i adrodd llawer o straeon am ei bywyd wrtha i.

Dwi'n cofio'r straeon i gyd, a galla i ei hatgoffa os bydd hi'n anghofio rhyw ddiwrnod.

Mae Mam-gu wrth ei bodd pan mae Dad yn brwsio'i gwallt hir, cyrliog.

Mae hi'n dal i hoffi gwisgo'n smart, fel roedd hi pan oedd hi'n ifanc.

Er bod Mam-gu nawr yn byw yn ei chartref newydd, rydyn ni'n dal i wneud llawer o bethau gyda'n gilydd.

Mae Alun yn aml yn dod aton ni'n dau.

Ambell dro, mae Mam-gu
angen gorffwys bach.
Bryd hynny, rydyn ni'n
cael amser tawel.

Mae'n braf jest cael bod gyda'n gilydd.

Pan mae Mam-gu'n teimlo'n flin neu'n anhapus,
dydw i ddim yn gallu treulio amser gyda hi.
Mae hynny'n fy ngwneud i'n drist.

Ond dwi'n lwcus iawn
– mae gen i deulu a
ffrindiau i edrych ar f'ôl i.

Maen nhw'n gwybod yn iawn
sut i wneud i mi wenu.

Does dim ots os ydy Mam-gu'n cael
diwrnod da, neu ddiwrnod gwael.

Mae hi'n dal i fod y fam-gu orau
yn y byd i gyd yn grwn.

Beth am siarad am Mam-gu?

Efallai dy fod yn nabod rhywun sy'n debyg i fam-gu Osian. Efallai ei fod e neu hi yn dioddef o ddementia, a tithau'n gofyn pam. Dros y tudalennau nesaf byddwn yn ceisio ateb rhai cwestiynau, ac yn dy helpu di i siarad am dy deimladau.

Beth sy'n digwydd pan fyddwn ni'n mynd yn hen?

Pan fydd pobl yn mynd yn hen, dydy eu cyrff ddim yn gweithio cystal ag oedden nhw ers talwm. Os ydyn nhw'n cael rhyw salwch, mae'n cymryd mwy o amser iddyn nhw wella.

Beth ydy dementia?

Mae gan bobl â dementia broblem gyda'u hymennydd sy'n gwneud iddyn nhw anghofio pethau ac ymddwyn yn wahanol. Clefyd Alzheimer ydy'r enw ar un math cyffredin o ddementia. Yn wahanol i annwyd neu firws, does dim modd 'dal' dementia. Mae pobl â dementia yn dal i allu byw bywydau da.

Sut mae dementia'n newid pobl?

Pan mae rhywun rwyt ti'n ei garu yn dioddef o ddementia, mae'n anodd iawn deall pam eu bod nhw'n ymddwyn yn wahanol. Mae pobl â dementia'n mynd yn anghofus ac yn ddryslyd. Maen nhw'n cael dyddiau eitha da a dyddiau gwael. Efallai y byddan nhw'n gwneud camgymeriadau wrth wneud pethau cyffredin bob dydd, fel bwyta neu wisgo. Maen nhw'n cael trafferth i wneud pethau syml sy'n ymddangos yn hawdd i ni.

Weithiau, mae pobl â dementia yn troi'n flin a chas – ac mae'n hawdd meddwl eu bod yn gas gyda ti. Ond dydy hynny ddim yn wir – fel arfer, maen nhw'n flin am eu bod yn teimlo'n ddryslyd ac yn llawn gofid. Efallai eu bod yn flin â nhw'u hunain oherwydd eu bod wedi anghofio sut i wneud rhywbeth. Dychmyga sut byddet ti'n teimlo taset ti'n anghofio bron popeth rwyt ti'n ei wybod!

Mae pobl â dementia yn aml yn anghofio rhywbeth sydd newydd ddigwydd – ond yn cofio beth ddigwyddodd amser maith yn ôl. Er enghraifft, efallai eu bod yn cofio pethau ddigwyddodd pan oedden nhw'n blant, ond yn anghofio beth gawson nhw i frecwast y diwrnod hwnnw. Weithiau, maen nhw'n anghofio pethau mor gyflym fel eu bod yn ail-ddweud yr un peth drosodd a throsodd. Ac weithiau, maen nhw'n defnyddio geiriau sy'n golygu dim byd i ni. Mae'n bosib y byddan nhw'n anghofio dy enw, ac yn methu'n lân â chofio pwy wyt ti. Mae hynny'n gallu gwneud i ti deimlo'n drist iawn.

Alla i ddal i fynd i'w gweld nhw?

Pan mae rhywun sy'n annwyl i ti yn dioddef o ddementia, mae'n anodd gwybod beth i'w ddisgwyl pan fyddi di'n mynd i'w gweld. Ambell dro, mae'r ymweliad yn llawn hwyl a'r amser yn hedfan. Dro arall, mae'n ddiflas iawn, a tithau'n methu aros i fynd adref. Fydd pob ymweliad ddim yn hawdd, ond mae treulio dim ond ychydig o amser gyda nhw yr un mor bwysig ag aros am amser hir.

Sut galla i helpu?

Mae 'na lawer o bethau y galli di eu gwneud i helpu rhywun sydd â dementia.

- Siarad am bethau rydych chi wedi'u gwneud gyda'ch gilydd yn y gorffennol. Yr un person ydy Mam-gu ag oedd hi ers talwm, ac mae'n bosib y bydd hi'n dal i gofio rhai o'r pethau hyn.
- Paratoi bocs o atgofion, yn cynnwys pethau y gallwch chi siarad amdanyn nhw gyda'ch gilydd. Bydd Mam-gu'n siŵr o gofio rhai ohonyn nhw.
- Mae rhannu cerddoriaeth yn bwysig – mae'n gallu dod ag atgofion yn ôl, a rhoi teimlad braf, cysurus.
- Chwilia am albwm neu ddau o hen luniau y gallwch chi edrych arnyn nhw gyda'ch gilydd.
- Mae'n bwysig gwneud cynlluniau. Dydy bywyd ddim yn dod i stop pan mae person yn dioddef o ddementia. Efallai fod bywyd yn wahanol, ond mae'n dal i gario 'mlaen. Y peth pwysicaf yw dy fod yn treulio amser gyda Mam-gu.